WiERSZYKi
NA POGODĘ I NIEPOGODĘ

Spis treści

Prognozy 5
Chmurki-baranki 6
Mżawka 8
Mróz 11
Niebo błękitne 12
Psotny wietrzyk 15
Szron 16
Upalny dzień 18
Deszczyk letni 21
Wiosenne słońce 22
Wichura 25
Błoto 26
Babie lato 29
Chmura burzowa 30
Kapuśniaczek 33
Mglisty dziadek 34
Letnia pogoda 36
Rosa 38
Mroźne kły 41
Zamieć 42
Kałuże 44
Mgła 46
Tęcza 48
Parasolki w deszczu 50
Dziadek i wiatr 52
Grad 54
Oberwanie chmury 56
Śnieg 59
Trąba powietrzna 60
Chmury 63

Prognozy

Prognoz pogody słucham codziennie:
Będzie zimowo czy już wiosennie?
Czy będzie wiało, czy będzie grzmiało,
A może deszczu będzie zbyt mało?

Z prognoz pogody jasno wynika:
Czy iść w szaliku, czy bez szalika,
Jechać rowerem, czy samochodem,
W góry, do lasu, czy gdzieś nad wodę?

Prognozy często bywają mylne,
Bo aura lubi płatać nam figle.
Dzień miał być dzisiaj z pięknym słoneczkiem,
A było różnie, czyli w krateczkę.

Chmurki-baranki

Wędrują niebem białe baranki,
Zjadając góry bitej śmietanki.
Rosną im potem pękate brzuszki,
Więc na mięciutkie wchodzą poduszki.

Leżą i w otchłań patrzą daleką
Poprzez firanki białe jak mleko.
Marzą, że zbiegną kiedyś na trawę –
Są jej zapachu bardzo ciekawe.
Chciałyby skubnąć jeden pęd młody
I z rzeki chłodnej spróbować wody.

Chmurki-baranki nie wiedzą jeszcze,
Że wkrótce spadną na łąkę z deszczem,
A niebu krzykną: „Hej, do widzenia!
Biegniemy spełnić nasze marzenia".

Mżawka

Pusta w parku jest huśtawka,
Nie chce siadać nikt na ławkach.
Wokół chodzą parasole,
Bo dziś mamy dżdżysty wtorek.

Auta mokre są od mżawki,
Zmokły koty, kwiaty, trawki,
Piesek z panią na spacerze,
Pan jadący na rowerze.

Gdzie nie spojrzeć, mokro wszędzie,
A kto zmoknie, kichać będzie.
Tylko grzybek muchomorek
Lubi taki dżdżysty wtorek.

Mróz

To po prostu niepojęte –
Mróz chciał złapać mnie za piętę!
Skradał się przy moim bucie,
Jak tupnęłam, to mróz uciekł.

Chciał za uszy mnie tarmosić:
„Mrozie, niech się mróz wynosi!".
Naciągnęłam czapkę głębiej,
Uszu dzisiaj nie przeziębię.

Buzię otuliłam szalem,
Nie wystawię brody wcale.
Z mrozu będę śmiać się w głos,
Niech sam własny szczypie nos.

Niebo błękitne

Kiedy już będę zupełnie duża,
To skonstruuję taki odchmurzacz,
Co przez potężne i długie rury
Wciągnie do worka chmurki i chmury.

Odchmurzacz co dzień wystawię z kąta
I całe niebo pięknie posprzątam.
Jeśli pojawią się jakieś mgiełki,
Wtedy użyję zwykłej miotełki.

Gdy niebo będzie zawsze błękitne,
Krokus w ogródku prędzej zakwitnie
I kotka szybciej się zauroczy,
Kiedy kotkowi popatrzy w oczy.

Psotny wietrzyk

Dziś przez okno do przedszkola
Wleciał psotny wietrzyk z pola.
Był niegrzeczny, słowo daję,
Nie chciał nawet słuchać bajek.

Trzasnął drzwiami, potłukł szklankę
I zaplątał się w firankę.
Nikt nie zdołał go dogonić,
Gdy unosił nasz balonik.

Okno było uchylone,
Więc poleciał wraz z balonem.
Teraz razem będą hasać
Po bezdrożach i po lasach.

Szron

Założyły drzewa dziś rano pończoszki
Na gołe gałązki, na rączki, na noski.
Skarpety założył płotek zbity z desek,
Boso biega tylko mój kotek i piesek.

Srebrnymi futrami okrył się trawniczek,
A srebrne kożuchy włożyły donice.
Wczoraj wszystko było zielone i rude,
A dzisiaj jest biały calutki ogródek.

Upalny dzień

Słońce jak dziesięć słońc dziś dogrzewa,
Więc zapraszają do parku drzewa,
Żeby pod nimi w zielonym cieniu
Móc na zielonym usiąść kamieniu.

Żar spływa z nieba, a kamień polny
W dzień taki bywa przyjemnie chłodny.
Miło jest na nim posiedzieć chwilkę
I pogawędzić sobie z motylkiem:

„Jak sobie motyl radzi z upałem?".
„Ja nie narzekam na upał wcale.
Doradzam latać całymi dniami,
Żeby wachlować się skrzydełkami".

Deszczyk letni

Letni deszczyk jest uroczy,
Każdy chce się w nim pomoczyć.
Bocian w deszczu skrzydła myje,
Piesek – ogon, łabędź – szyję.

Wyszły z norki krasnoludki,
Wystawiły na deszcz bródki.
Jabłoń – liście i owoce,
A ja warkocz sobie moczę.

Czarodziejski deszczyk letni
Jest na wzrost po prostu świetny.
I stąd właśnie moja rada:
„Mocz się w deszczu, kiedy pada!".

Wiosenne słońce

Wiosną jest słońce w dobrym humorze,
Słoneczną buzię rozchmurzyć może.
Rano otwiera okna błękitne,
Sprawdza, czy w lesie przylaszczka kwitnie.

Śle na ulice ciepłe promyki,
Zdejmuje ludziom czapki, szaliki.
W stawach i strugach moczy promienie
I drzewom długie maluje cienie.

A gdy usłyszy trele słowika,
Swoje błękitne okno zamyka.
I spać się kładzie na godzin parę,
Bo noc rozwiesza gwiezdną kotarę.

Wichura

Rozpętała się wichura,
Wiatr po polnej drodze hula.
Uciekają z krzykiem kurki,
Krówki biegną do obórki.

Wiatr wrotami wali w gniewie,
Czemu złości się, nikt nie wie.
Po co drzewa łamie w lesie,
A ich liście do chmur niesie?

Pędząc, niszczy łany zboża,
Wkrótce pogna, hen, do morza.
Tam rybakom porwie sieci
I gdzieś dalej w świat poleci.

Błoto

Mama mówi po dobroci:
„Synku, wyjdź, bo się ubłocisz".
Ja przyznaję, że z ochotą
Zawsze wchodzę w każde błoto.

Lubię ślady w nim odciskać,
Lubię patrzeć na nie z bliska,
Bo rozpoznać mogę wnet,
Kto tą drogą wcześniej szedł.

Mogę porysować w błocie,
Znaleźć ślady psie i kocie.
Weź, mamusiu, przykład ze mnie
I sprawdź, jak tu jest przyjemnie!

Babie lato

Kotek ciężką miał robotę,
Zbierał z trawy nitki złote.
Łapką zgarniał je po prostu
Z krzaków róż i z kwiatów ostu.

Sadził długie susy kocie,
Łapiąc lekkie nitki w locie.
Lecz gdy miał zmęczone nóżki,
Zwijał motki i kłębuszki.

Z nitek złotych którejś nocy
Utkał kotek miękki kocyk.
Teraz drzemie na nim z tatą,
A śni mu się babie lato.

Chmura burzowa

Chmuro ciemna, chmuro wielka,
Może chciałabyś cukierka?
Dam ci moją nową lalę,
Jeśli pójdziesz sobie dalej.

Jesteś groźna, ciężka, duża,
Jak zostaniesz, będzie burza.
Jeśli zagrzmieć masz ochotę,
To cichutko, bo śpi kotek.

Jak piorunem ciśniesz z góry,
To wystraszysz kaczki, kury.
Lepiej tylko popodlewaj
W naszym sadzie wszystkie drzewa.

Kapuśniaczek

Kapuśniaczek leci z nieba,
Przy kominku kotek ziewa.
Psu się z budy wyleźć nie chce,
Kapuśniaczek pada jeszcze.

Dowiedziały się kucharki,
Nadstawiały miski, garnki.
Dziś gotować nic nie trzeba,
Kapuśniaczek leci z nieba.

Naleciało wody w garnki,
Gdzie kapusta, grzybki, skwarki?
Kapuśniaczku ani śladu!
Cóż, nie będzie dziś obiadu.

Mglisty dziadek

Tam, gdzie nad rzeczką jest wąska kładka,
Spotkałam kiedyś mglistego dziadka.
Miał siwą brodę, nadzwyczaj długą,
Wiła się w trawie nad leśną strugą.

Snuła się ścieżką wokół brzeziny,
Zrobiła brzozom siwe czupryny.
Sunęła lekko – tu buk, tam sosna –
Jakby wciąż broda rosła i rosła.

Pookrywała ptaki i liście,
Więc było od niej wokół srebrzyście.
Na trawki, liście, mech i kamyki
Spadały brody srebrne kosmyki.

Wszystko dokoła było wilgotne,
Czy to jest broda czy deszczu krople?
Dziadek rozpłynął się w rannej mgle,
Czy był tu w ogóle? Być może nie…

Letnia pogoda

Latem, w słoneczną, ciepłą pogodę
Lubię za miasto jechać nad wodę.
Z rybami pływam wtedy do zmroku,
Choć one wolą mieć święty spokój.

Na trawie zawsze rozkładam kocyk
I leżąc, żabom zaglądam w oczy.
Jedna z nich bajki kumka do ucha,
A ja tych bajek cały dzień słucham.

Kiedy ją pytam, co ona na to,
Żebym nad wodą spędziła lato,
Zieloną łapką w ucho mnie łechce
I radzi wracać, lecz mi się nie chce!

Rosa

Noc otuliła się dzisiaj szalem
I założyła lśniące korale.
Wiatr grał walczyka, ona tańczyła
I koraliki w tańcu gubiła.

Były o świcie na wszystkich kwiatkach,
Na ich łodyżkach, listkach i płatkach.
Przyozdobiły róże i osty,
Lśniły na płocie i igłach sosny.

Chciałam nawlekać je na niteczki,
By obdarować swoje laleczki,
Lecz do ogródka zajrzało słońce
I wysuszyło kropelki lśniące.

Mroźne kły

Mróz jest dzisiaj bardzo zły
I lodowe szczerzy kły.
Kły zwisają z budy psiej,
Piesku Burku, z budy wiej!

Mróz twój ogon chwycić może,
Jeśli będziesz spał na dworze.
Chodź tu, piesku, bo kły mroźne
Wyglądają bardzo groźnie.

W domu dam ci ciepły kocyk,
By cię mróz nie ugryzł w nocy.
Wkrótce przyjdą ciepłe dni
I lodowe znikną kły.

Zamieć

Wiatr bez celu lata sobie
I ma tylko figle w głowie.

Często mówi do sikorek:
„Do roboty się nie biorę!
Będę hulał całe lato,
Zimą popracuję za to.

A gdy już nadejdzie pora,
Zmiotę śnieg z całego pola.
Zrobię zaspy tak potężne,
Że drżeć będą pługi śnieżne.

Będzie zamieć w całym świecie,
Ale zimą, a nie w lecie!".

Kałuże

Wyszedł kalosz na podwórze:
„Jakie piękne te kałuże!
Słowo daję, mógłbym co dzień
Po cholewki brodzić w wodzie.

Jakie piękne te kałuże!
Zaraz cały się zanurzę.
Ja po prostu pragnę wody
Jak wieloryb i krokodyl".

Wrócił wreszcie z dworu kalosz.
Ktoś go w progu chwycił za nos,
A on bardzo się nadąsał:
„Nie pozwolę sobą wstrząsać!".

Protestując, wokół chlustał,
Tak, że nabrał wody w usta.
Teraz wisi smutny nieco,
Czy to łzy z cholewki lecą...?

Mgła

Mgła w ogródku jest od rana,
A więc jestem w mgłę wplątana.
Jest we włosach, na sukience,
Tutaj mniej, a tutaj więcej!

Wczoraj była tu altanka,
Dziś – mgła gęsta jak śmietanka.
Pan słonecznik się przybłąkał,
Czy to dróżka, czy to grządka?

Chodzę, wołam: „Piesku miły,
Ścieżki mi się pogubiły!
Jeśli troszkę się postarasz,
To mnie z mgły wyplączesz zaraz!".

Tęcza

Malowało słońce z deszczem
Nad łąkami tęczę.
Słońce farby dobierało,
A deszcz machał pędzlem.

Malowali barwą kwiatów
Na nieba błękicie.
Przyglądały im się chabry,
Które rosły w życie.

Swych odcieni użyczyły
Bratki i kaczeńce,
Podziwiały bzy i maki
Siedmiobarwną tęczę.

Każdy kwiatek podarował
Barwy odrobinkę,
Więc zdobiła tęcza niebo
Tylko krótką chwilkę.

Parasolki w deszczu

Parasolki drzemią w szafach,
Śpią cichutko na wieszakach
Aż do chwili, gdy za oknem
Spadną pierwsze deszczu krople.

Biegną wtedy na ulicę,
Każda inną ma spódnicę,
Każda tańczy w deszczu nutkach,
Ta błękitna, ta malutka.

Tamta gładka, ta we wzorki,
Tańczą mokre parasolki.

Dołączyły do mazura
Parasole w garniturach.
W którąkolwiek spojrzeć stronę,
Miasto w deszczu roztańczone!

Solo, w parach albo w kole,
Parasolki, parasole…
Będą tańczyć mokry taniec,
Aż deszcz padać nie przestanie.

Dziadek i wiatr

Miał stary dziadunio ogródeczek mały,
Gdzie na ciężkiej pracy spędzał dzionek cały.
Nocą władca wiatrów z potężną wichurą
Pokrył nad ogródkiem niebo ciemną chmurą.

Hulał po ogrodzie na rumaku dzikim,
Łamał i przewracał fasolowe tyki.
Pędząc, powyrywał furtki oraz płoty.
Będzie miał dziadunio na miesiąc roboty.

Wichura porwała kosze wiklinowe.
Będzie trzeba teraz powyplatać nowe.
Rano wstał dziadunio i westchnął: „Jak miło,
Że mi się zwyczajnie to wszystko przyśniło".

Grad

Z chmury gradowej spadają lody,
Ale, niestety, o smaku wody.

Gdybym mógł skoczyć wysoko w górę,
Mlekiem i soczkiem pokropić chmurę,
Spadłyby z nieba kulki lodowe –
Wiśniowe, mleczne i truskawkowe.

Włożyłbym szybko wszystkie w wafelki
I w kolorowe, lśniące papierki.
Lody w lodówce schowałbym potem,
I jadł, gdy tylko miałbym ochotę.

Mógłbym się dzielić przez całe lato
Pysznym deserem z mamą i z tatą.

Oberwanie chmury

Mówią w radiu jakieś bzdury:
„Będzie oberwanie chmury".
To są żarty, słowo daję.
Ja nie słucham takich bajek.

Żadnej wstążki ani sznurka
Nie ma przecież żadna chmurka.
Może zerwać się latawiec,
By spaść później gdzieś na trawę.
Pies lub łańcuch przy rowerze,
Ale chmura? Nie uwierzę!

W końcu przyszła chmura czarna,
Deszcz z niej lunął, niczym z wiadra.
W wodzie była jezdnia cała,
Bo się chmura oberwała.

Śnieg

Leciał z nieba puszek biały,
Pokrył płotek i dach cały.
Pokrył lasek, pola, łączkę,
Wpadał wprost do moich rączek.

Kot próbował go po troszku,
Myśląc, że to mleko w proszku.
Pies zamierzał do niedzieli
Puszkiem budę swą wyścielić.

Mała myszka wyszła z norki,
Chciała nim napełnić worki.
Puszek zniknął, wielka szkoda.
Pozostała tylko woda.

Trąba powietrzna

Czy to słoniowa, czy to powietrzna,
Trąba coś może wciągnąć do wnętrza.
Słoniowa raczej nam nie zaszkodzi,
Bo wciąga wodę, co słonia chłodzi.

Wielka, potężna trąba powietrzna
Może być groźna i niebezpieczna.
Wciągnie z łatwością moje zabawki,
A nawet namiot, leżak i ławki.

W mig znikną grabki, autko, łopatka,
Piach z piaskownicy i szpadel dziadka.
Trąba to wszystko w górę uniesie,
Wymiesza razem i zgubi w lesie.

Chmury

Dziś za oknem szaro, buro,
Wiatr się goni z czarną chmurą.
Patrzę w okno, a zza chmury,
Smok wystawia dwa pazury.

Oj! Już widać całą łapę,
Smok się w smocze ucho drapie.
Jeśli będzie w złym humorze,
To mnie całą połknąć może.
Właśnie dostrzegł mnie, niestety:
„Smoku, może zjesz kotlety?".

Dwa kotlety całkiem duże,
Chciałam wynieść na podwórze,
Ale cóż to, nie ma smoka?
Zniknął w chmurach w mgnieniu oka.
Może zwiedza obce kraje,
Albo śpi już w świecie bajek.

Teksty: Anna Edyk-Psut
Ilustracje: Milena Zaremba
Skład, okładka i przygotowanie do druku: Renata Ulanowska
Korekta: Natalia Kawałko, Elżbieta Wójcik

Wydanie I

Wydrukowano w Polsce

Wydawnictwo SBM Sp. z o.o.
ul. Sułkowskiego 2/2
01-602 Warszawa
www.wydawnictwo-sbm.pl